WALT DISNEY

Blanche-Neige et les sept Nains

Adaptation Cécile Lameunière

FERNAND

NATHAN

En un lointain château, par une nuit d'hiver,
naquit une princesse au teint si blanc que
la reine, sa mère, la nomma tout simplement
Blanche-Neige. Les années passèrent et elle
devint une belle enfant dont le sourire et la
gentillesse touchaient tous les cœurs.
Hélas ! la reine tomba malade et mourut.
Le roi se remaria.
La nouvelle reine était belle, mais jalouse et méchante.
Elle se mit à détester Blanche-Neige et la traita
comme une servante. La princesse devait porter
les seaux d'eau et laver à genoux les sols
du château. Obéissante et douce, elle ne se
plaignait pas.

Chaque matin,
l'orgueilleuse reine avait
coutume d'interroger
son miroir magique :
— Ami, dis-moi qui est
la plus belle en ce
royaume ?
— C'est vous, Majesté,
répondait honnêtement
le miroir.
Et la reine souriait de
plaisir. Seulement,
Blanche-Neige
grandissait et, malgré
ses pauvres vêtements,
elle devint une jeune
fille merveilleusement
belle.

Elle ne devinait pas la jalousie qui envahissait
le cœur de sa belle-mère. Pour échapper à
sa misère, elle rêvait !
Un jour, un prince charmant descendrait
d'un nuage et l'emmènerait dans son palais
où ils seraient heureux pour toujours.
Ce matin-là, Blanche-Neige alla tirer l'eau
du puits, et ses amis les pigeons accoururent.
— Ce puits est magique. Confie-lui ce que
tu désires. Il t'exaucera, expliquèrent-ils.
Blanche-Neige se pencha au-dessus de la
margelle :
— Que mon prince vienne, murmura-t-elle.
Et le prince fut là, qui la contemplait, ébloui.

Il tenait son cheval par la bride et mit un genou
en terre pour s'adresser à Blanche-Neige.
— Vous êtes encore plus belle que dans mes
rêves, princesse. M'acceptez-vous comme ami ?
— Oh ! oui, répondit-elle avec élan. Moi aussi,
je vous attendais.

9

Ils devinrent inséparables. Chaque jour, Blanche-Neige venait tirer l'eau du puits.
Le prince la rejoignait. Assis sur la pierre moussue,
ils formaient de tendres projets.
— J'irai demander votre main au roi, votre père.
— Ma belle-mère est sévère, répondait-elle en soupirant. Peut-être l'obligera-t-elle à refuser !
— Alors, je vous enlèverai... si vous voulez bien me suivre !
— Je vous suivrai au bout du monde, répondait-elle rougissante.
Pigeons et tourterelles les écoutaient, ravis.
A l'heure de partir, Blanche-Neige les dispersait d'un grand geste amical :
— Au revoir ! Au revoir !

Hélas, ces moments heureux eurent un jour un autre témoin : de sa fenêtre, la reine aperçut le prince. Elle ne pouvait entendre ses paroles mais elle les devinait. Comment avait-il pu reconnaître une princesse sous l'aspect d'une servante ? Inquiète, elle alla consulter son miroir :

— Miroir magique, dis-moi la vérité. Qui est la plus belle en ce royaume ?

— Vous êtes belle, Majesté. Mais aujourd'hui, Blanche-Neige est plus belle que vous.

— Comment cela peut-il se faire ? siffla la reine furieuse.

— Elle possède la jeunesse, ajouta le miroir.

Alors, la méchante femme convoqua son écuyer.

Sa colère venait de lui dicter une cruelle
décision : Blanche-Neige devait disparaître.
Tant qu'elle serait là, même sous les haillons
d'une servante, la reine ne pourrait plus
supporter l'éclat de son sourire, ni le bonheur
qui brillait dans ses yeux.
L'écuyer était tout dévoué à sa maîtresse.
— Blanche-Neige m'a gravement offensée,
déclara-t-elle. Demain, dès l'aube, je veux que
tu l'emmènes dans la forêt, le plus loin possible.
Tu la tueras et tu me rapporteras son cœur dans
ce coffret. Ce sera la preuve que tu m'as obéi.
Quand la reine parlait, personne n'osait
la contredire.
L'écuyer s'inclina :
— J'accomplirai votre volonté, Majesté.
Je serai de retour avant la nuit.
Vous n'entendrez plus jamais
parler de la princesse.

Le lendemain, l'écuyer proposa une promenade à Blanche-Neige. Ravie, car elle aimait la campagne, elle partit sans méfiance. Un jour de vacances dans sa vie laborieuse, quelle chance ! Elle aurait voulu en remercier sa belle-mère, mais celle-ci resta invisible. Commencerait-elle à m'aimer ? pensa Blanche-Neige. Je lui dirai merci au retour. Et, insouciante, elle partit en fredonnant. L'homme et la princesse entrèrent dans la forêt où le soleil se mettait à jouer à travers les branches.

La reine avait bien recommmandé :
"Tu l'emmèneras le plus loin possible."
L'écuyer se gardait donc d'interrompre
la promenade. Et Blanche-Neige ne se privait
pas de cueillir des fleurs, de quitter le sentier
pour suivre de plus près la course d'un écureuil
qui jouait l'acrobate d'arbre en arbre.
Elle observait aussi l'entrée des terriers et
essayait d'en identifier les habitants.
Qu'il faisait bon vivre aujourd'hui !
Le souvenir du prince charmant ajoutait à son
bonheur. Demain, elle lui raconterait en détail
ces heures si agréables.
Elle s'assit dans la mousse pour se reposer
un moment. Comme à l'habitude, les oiseaux
et les petits animaux de la forêt accoururent :
ils devinaient que Blanche-Neige était leur amie
et elle leur parlait avec douceur.

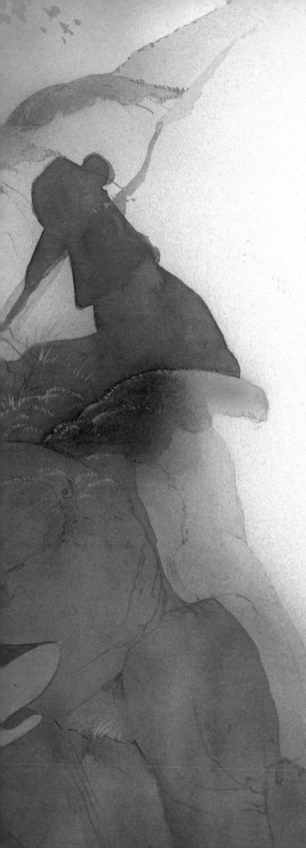

— Repartons-nous
maintenant ?
demanda-t-elle.
L'écuyer dut faire un
effort pour répondre.
Il était troublé, car le plus
dur restait à accomplir.
— Non, princesse, la
promenade s'arrête ici.
— Quel dommage !
Et Blanche-Neige se leva.
— Vous ne rentrerez pas
non plus, dit-il.
La princesse jeta sur lui
un regard étonné.
— Que voulez-vous
dire ? Je ne vais pas
passer la nuit ici ?
La reine serait très
mécontente.
— C'est justement
Sa Majesté qui...
Et le malheureux écuyer
dut expliquer à
Blanche-Neige la
mission dont il était
chargé :
il devait la tuer et
rapporter son cœur au
château. Les yeux
emplis de larmes, elle
recula, épouvantée.

— Ce n'est pas possible ! Même si elle ne m'aime
pas, la reine ne peut pas être aussi cruelle !
— Elle l'est, princesse. Elle m'a fait promettre
d'exécuter son ordre. Mais je ne peux pas :
vous êtes trop jeune, trop belle, trop bonne
pour mourir.
L'écuyer s'était agenouillé devant Blanche-Neige.
— Je vous demande pardon d'avoir accepté cette
horrible besogne. Je préfère mourir moi-même
plutôt que de porter la main sur vous.
Blanche-Neige reprit courage. Cet homme ne lui
ferait pas de mal. Elle réfléchissait.
— Si vous ne rapportez pas mon cœur dans
le coffret, c'est vous qui serez en danger.
L'écuyer releva la tête.
— Vous allez fuir, princesse, le plus loin
possible. Moi, je tuerai une jeune biche
et c'est son cœur que je rapporterai
au château. La reine ne verra pas
la différence. Vous serez
sauvée et moi aussi.

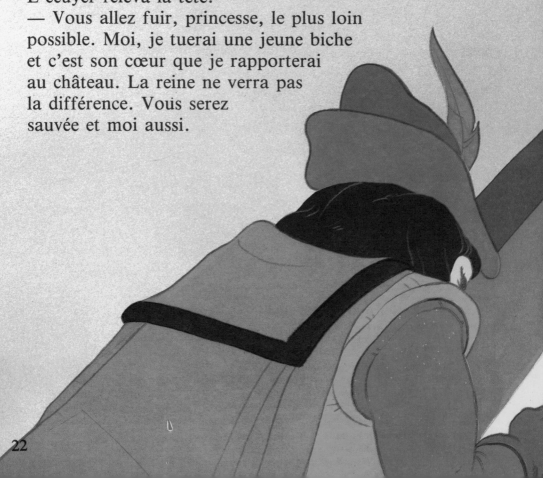

Il n'y avait pas de temps à perdre. L'écuyer
souhaita bonne chance à Blanche-Neige qui le
remercia avec élan :
— Je n'oublierai jamais que je vous dois la vie.
Et elle s'éloigna dans la profondeur de la forêt.
Son cœur battait à grands coups. Elle n'arrivait
pas à croire à son malheur. Qu'avait-elle fait
pour attirer la haine de sa belle-mère ? Elle avait
toujours obéi à ses ordres.
Des larmes coulaient sur son beau visage.
Elle courait, se griffait aux buissons et
s'enfonçait dans l'ombre épaisse comme pour s'y
sentir protégée.

Mais elle avait tant marché depuis le matin
qu'elle n'en pouvait plus. D'ailleurs, où trouver
un refuge ? Épuisée, elle s'allongea sur la mousse
humide.

Elle revoyait en pensée le château de son enfance
et l'apparition du prince charmant, leurs doux
entretiens au bord de la margelle. Demain, il
viendrait au rendez-vous et ne la trouverait pas ;
il la chercherait en vain et repartirait pour
toujours.

Elle ouvrit les yeux : entre les troncs d'arbres,
de petites lumières s'allumaient, clignotaient, se
rapprochaient : des yeux brillaient dans l'ombre,
des yeux rassurants, pleins d'amitié, ceux
des animaux qui avaient toujours été ses
compagnons : lapins, écureuils, biches et faons...

27

Blanche-Neige se sentit réconfortée. Elle se redressa et tendit la main pour caresser les fins museaux.

— Je me croyais abandonnée de tous. Pardonnez-moi, petits amis. Merci d'être là pour me consoler. Si vous saviez…

— Mais nous savons, nous savons…, déclarèrent les lapins qui parlaient tous à la fois.

uvelles courent aussi vite
a la biche.

— Que vais-je devenir ? soupira Blanche-Neige.
La discussion devint générale. Tous avaient bon
cœur, mais ni les nids ni les terriers ne pouvaient
accueillir la princesse. C'est encore dame biche
qui donna le bon conseil :
— Il y a la maison des nains, dit-elle.
Cet avis fut applaudi par tout le monde.
— Bien sûr, les nains, les nains !...
— Nous allons te conduire à leur logis, déclara
la biche. Ce n'est pas très loin.
— Qui sont ces nains ? Et voudront-ils de moi ?
s'inquiéta Blanche-Neige.
— Bien sûr ! En route !
Et la petite troupe s'engagea sur le sentier.

34

C'était à qui serait le
plus prévenant.
— Par ici, princesse.
Attention, ces buissons
sont pleins d'épines !
Blanche-Neige soupira :
— Une princesse bien
misérable, sans château
ni famille !
— Tu vas en découvrir
une autre, assura un
lapin bondissant.
— Les nains sont un
peu particuliers mais
ils ont très bon cœur,
affirma son voisin.
— Nous approchons,
faites moins de bruit,
ordonna la biche.
Nous allons te quitter
en te souhaitant bonne
chance.
— Tu oublieras vite ta
méchante belle-mère,
assura l'écureuil.
Blanche-Neige n'en était
pas aussi sûre, mais elle
remercia ses amis,
s'avança seule et écarta
le dernier feuillage qui
lui cachait la maison
des nains.

Ses yeux s'agrandirent de surprise.
Elle s'attendait à découvrir une demeure adaptée
à la taille de ses habitants, mais elle n'avait pas
imaginé un tel logis. Devant Blanche-Neige
s'étendait une clairière et, tout au bout, la plus
charmante maisonnette qu'on pût rêver, paisible
sous son toit de chaume.
Les volets étaient ouverts, mais rien ne bougeait.
Les maîtres des lieux n'étaient pas là.
Elle hésita encore devant ce monde inconnu où
elle allait vivre... si les nains voulaient bien
l'accueillir. Blanche-Neige était timide, mais
il fallait se décider car, déjà, le soleil baissait à
l'horizon. Elle décida de visiter la maison. A pas
menus, elle s'avança vers la porte qui n'avait pas
de serrure. Elle tourna le loquet.

— Oh ! oh ! mumura-t-elle. On voit bien qu'il
n'y a ici ni maîtresse ni servante !
Si les nains étaient gentils, comme l'affirmaient
les amis de la forêt, ils n'avaient à coup sûr ni
le goût de l'ordre ni celui du ménage. Ce n'était
partout que poussière, désordre : tabourets
renversés, linge sale éparpillé et, dans l'évier,
la vaisselle attendait d'être lavée.
Blanche-Neige sourit.
— Je serai utile à quelque chose, se dit-elle.
Elle avait tant frotté les dalles du château que ce
qui l'attendait ici lui semblait un jeu d'enfant.
Car tout était minuscule : les sept tabourets,
les sept écuelles, les sept chemises froissées...
et minuscule aussi la salle dont les murs et
le plafond s'ornaient de toiles d'araignée.
La besogne ne prendrait pas beaucoup de temps.
Elle commença par ouvrir un placard pour
trouver un balai.
— A l'ouvrage, maintenant !

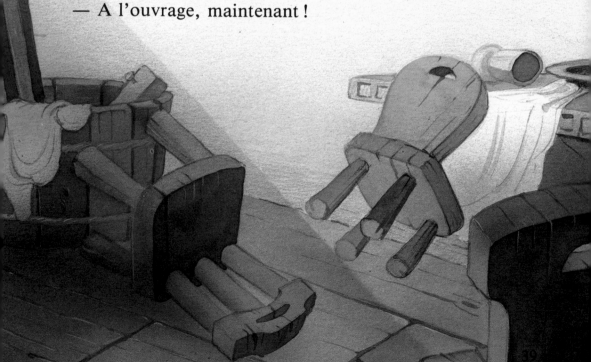

Au premier coup de
balai, un nuage de
poussière s'éleva. Elle
courut ouvrir la fenêtre
et, à sa grande surprise,
tous ses amis étaient là.
— Nous allons t'aider,
Blanche-Neige !
Et, joyeusement, chacun
s'activa dans la maison.
Les pattes s'agitaient,
les queues époussetaient.
En peu de temps, le
logis fut méconnaissable :
plus de toiles d'araignée,
un sol brillant,
des tabourets bien rangés
autour d'une table nette.
— Encore merci à tous,
dit Blanche-Neige. Il est
temps pour vous de
rentrer.
En attendant le retour
des nains, je vais me
reposer un peu.

Le jour baissait.
Sur le pas de la porte,
les amis de Blanche-Neige
la regardèrent s'éloigner
et disparaître dans
l'escalier qui conduisait
à la chambre des nains.
Là, comme elle s'y
attendait, sept petits lits
s'alignaient. Chacun
portait le nom de
son propriétaire. Elle lut :
"Prof, Joyeux, Simplet,
Grincheux, Atchoum,
Timide et Dormeur".
"Drôles de noms !"
pensa-t-elle. Elle n'avait
plus le courage de secouer
matelas et couvertures en
désordre. La journée avait
été si rude !
Blanche-Neige s'allongea
en bâillant en travers
des lits. Elle attendrait
ici, en se reposant,
le retour des nains.
Mais la fatigue fut la
plus forte et le sommeil
l'emporta presque
aussitôt.

Pendant ce temps, les nains achevaient leur
journée de travail. Dans une carrière bien cachée
dans la forêt, ils piochaient avec entrain. Chaque
jour, armés de pics et de pelles, ils creusaient à
flanc de montagne : ils avaient découvert une
mine de diamants ! La tâche était dure pour leurs
petits bras, mais elle en valait la peine.
Grincheux déposa son outil et regarda le ciel :
— Le soleil baisse à l'horizon. J'ai grande envie
de rentrer à la maison.
— Moi aussi, dit Dormeur qui pensait à son lit.
Mais Joyeux s'exclama :
— Regardez ma trouvaille !

Il brandissait un caillou. Prof le saisit, le frotta
sur sa manche et le caillou se mit à briller
comme un soleil.
— Il est superbe, déclara Prof.
— Ce n'est pas notre premier diamant, grogna
Grincheux qui portait bien son nom.
Un éternuement les interrompit :
— N'empêche que je m'enrhume, dit Atchoum.
On décida d'arrêter le travail et de rentrer à
la maison.

Les nains marchaient en file, d'un même pas,
en chantant pour se donner du courage.
— Ahi aho ! Nous rentrons du boulot.
Ahi aho ! Ahi aho ! Ahi ahi aho !
La forêt résonnait de ce refrain joyeux.
Plus ils approchaient de la maison, plus ils
donnaient de la voix. On reconnaissait celle de
Prof, grave ; celles de Timide et de Simplet, plus
légères. Atchoum lançait quelques fausses notes
mais, dans l'ensemble, c'était assez réussi.
Nos chercheurs de diamants étaient heureux de
retrouver leur logis.

Ils arrivèrent à la
clairière et la troupe
s'arrêta soudain comme
un seul homme.
— Qu'est-ce que...
qu'est-ce qui...?
bafouilla Simplet.
Grincheux montrait du
doigt la fenêtre éclairée :
— Le dernier sorti ce
matin a oublié
d'éteindre, constata-t-il
sévère.
— Impossible, c'est
moi ! affirma Prof.
— Alors, c'est que
quelqu'un est entré chez
nous, risqua Timide.
— Chic ! une visite !
s'exclama Joyeux,
toujours prêt à voir le
bon côté des choses.
— J'ai faim et j'ai
sommeil. Rentrons,
grogna Dormeur.
— Prudence !
recommanda Prof. Ami
ou ennemi, qui peut
bien avoir allumé les
chandelles ?

Sur la pointe des pieds, mais en se bousculant pour mieux voir, les nains approchèrent de la porte et l'ouvrirent doucement. Simplet poussa un "oh" émerveillé. Les autres restèrent muets de saisissement. Les yeux écarquillés, ils contemplaient leur logis.

Tout était rangé, astiqué, brillant.

— Qui a osé laver ma chemise ? dit Grincheux.

— Et mon couvert ? protesta Atchoum.

— Quel toupet d'entrer ainsi chez les gens pour y faire la révolution, clama Prof qui aimait bien employer de grands mots.

— C'est quand même une révolution sympathique, osa remarquer Timide.

— J'aime assez qu'on fasse le travail à ma place, déclara Joyeux avec un sourire.

Chacun s'était mis à fureter. Et, même si Grincheux s'efforçait de garder un air bougon, les autres commençaient à trouver la maison bien agréable depuis qu'elle avait fait toilette.

— Il faudrait aller voir là-haut ! proposa Dormeur, inquiet pour son lit.

A la queue leu leu, ils montèrent l'escalier.

— Chut ! ordonna Prof qui marchait en tête.

— Chut ! Chut ! Chut ! faisait passer chaque nain à son suivant.

Mais les marches craquaient et ils n'y pouvaient rien. Tous pressentaient que la clé du mystère se trouvait dans la chambre. Et il y avait si peu d'imprévu dans leur vie bien réglée qu'ils étaient ravis de l'aventure.

Arrivés sur le seuil, ils s'arrêtèrent, les derniers se hissant sur la pointe des pieds pour mieux voir. Le spectacle en valait la peine !

Là, le ménage n'avait pas été fait. Mais, couché en travers des lits, quelqu'un dormait. Quelqu'un de bien plus grand qu'eux. On n'apercevait que de beaux cheveux noirs qui cachaient le visage de l'inconnu. Le visiteur reposait tranquillement.

— Je vais dire deux mots à ce voleur, grommela Grincheux, en essayant d'approcher.

— Mais il n'a rien volé, corrigea Simplet avec bon sens.

— En tout cas, il va me rendre mon lit, déclara Dormeur avec force, car son lit était le plus cher de ses trésors.

A cet instant, le ''voleur'' s'étira en bâillant.
Effrayés, les nains reculèrent tous ensemble.
Même Prof. Personne ne disait mot, attendant la
suite. Atchoum, lui, ne put retenir un
éternuement qui retentit dans la chambre comme
une sonnerie de clairon : c'était sa manière à lui
de montrer qu'il était ému. Ce fut aussi ce qui
tira complètement Blanche-Neige du sommeil.
Elle se frotta les yeux.

Joyeux éclata de rire :

— Une fille ! Notre voleur est une fille !

— Qu'elle est jolie ! admira Timide, rouge comme une pivoine.

— Hum ! hum ! Que faites-vous ici, mademoiselle ? questionna Prof pour reprendre la direction des événements.

— Vous voyez bien, je dormais ! répondit Blanche-Neige, avec son sourire le plus innocent.

— Oh ! pardonnez-moi, reprit-elle en se relevant.
Je ne me suis pas présentée et vous devez vous
demander comment je suis arrivée chez vous !
Prof s'inclina galamment :
— De toute façon, vous êtes la bienvenue.
Les autres nains, sauf Grincheux, approuvèrent,
multipliant les sourires.
— Vous êtes tous très gentils, dit Blanche-Neige,
mais je vous dois des explications.
Et elle ajouta en soupirant :
— C'est une triste histoire que je vais vous
raconter.

— Je m'appelle Blanche-Neige et je suis née dans un lointain château...

— Une princesse ! J'avais tout de suite vu qu'elle était très distinguée, souffla Joyeux à Atchoum. Simplet ouvrait des yeux émerveillés. Au fur et à mesure que se déroulaient les tragiques événements, les nains manifestaient chacun leur tempérament. Timide frémissait d'horreur quand elle en arriva à l'ordre de la reine. Prof serrait les poings en pensant à sa cruauté. Atchoum n'osait plus respirer de crainte d'éternuer au moment le plus dramatique.

Blanche-Neige parla des animaux de la forêt.

— Bravo ! Comme ils ont bien fait de vous conduire ici ! approuva Dormeur.

— Hum ! hum ! Pas si vite ! Il faut réfléchir, grogna Grincheux.

A ces mots, la discussion devint générale.

Même Timide enfla sa voix pour déclarer :

— D'abord, jamais la maison n'a été aussi propre !

Joyeux haussa les épaules :

— Il ne s'agit pas de ménage ! La princesse restera ici parce que...

— ... parce qu'elle y sera en sûreté, coupa Prof.

65

— Et parce que nous l'aimons déjà de tout notre cœur, avoua Simplet tout à fait conquis.
Il venait d'exprimer ce que chacun ressentait.
Alors, les cris de joie éclatèrent.
— Vive Blanche-Neige !
— Vive notre princesse !
— Je serai votre grande sœur, dit Blanche-Neige très émue.

Pendant ce temps, au
château, la reine, plus
orgueilleuse que jamais,
passait son temps à
orner son visage, à se
parer de luxueuses
toilettes et de bijoux.
Elle ne pouvait se passer
de compliments et, un
matin, elle reprit son
miroir magique.

— Fidèle miroir, dis-moi
quelle est la plus belle
en ce royaume ?

— La plus belle vit à la
frontière de la forêt,
sous les chênes géants,
dans la maison des
nains, répondit le
miroir.

— Son nom ! cria la
reine furieuse.

— Blanche-Neige !

— Elle n'est donc pas
morte ! L'écuyer m'a
trompée ! Eh bien, je
me chargerai moi-même
de la faire disparaître,
hurla-t-elle avec rage.

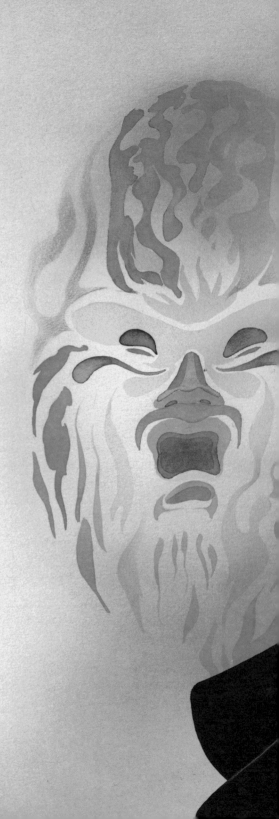

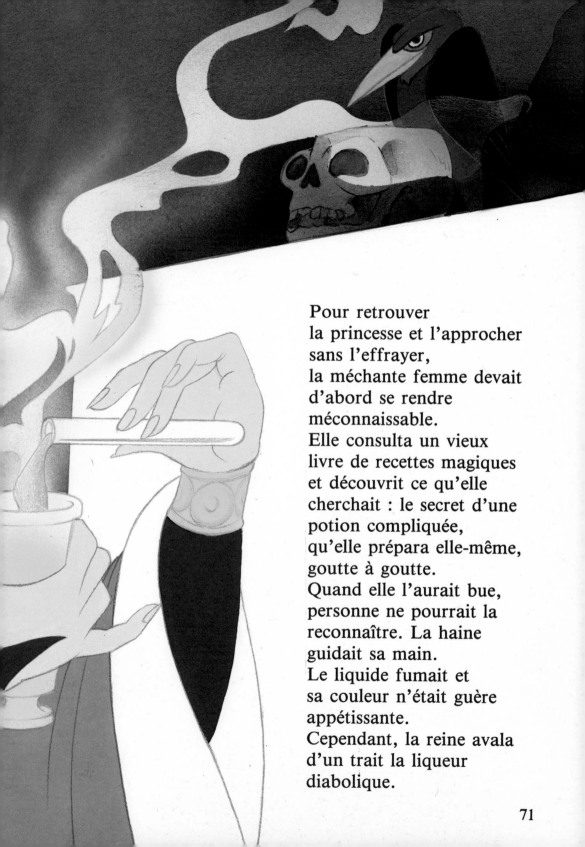

Pour retrouver
la princesse et l'approcher
sans l'effrayer,
la méchante femme devait
d'abord se rendre
méconnaissable.
Elle consulta un vieux
livre de recettes magiques
et découvrit ce qu'elle
cherchait : le secret d'une
potion compliquée,
qu'elle prépara elle-même,
goutte à goutte.
Quand elle l'aurait bue,
personne ne pourrait la
reconnaître. La haine
guidait sa main.
Le liquide fumait et
sa couleur n'était guère
appétissante.
Cependant, la reine avala
d'un trait la liqueur
diabolique.

L'effet fut instantané : son teint se fana, ses joues se ridèrent, sa bouche perdit ses dents, son nez rejoignit presque son menton. Elle se retrouva petite, bossue, laide et vêtue de haillons. Une parfaite sorcière ! Elle ricana de plaisir en contemplant son nouveau personnage.

— Blanche-Neige, voilà ta belle-mère ! Tu ne pourras pas la reconnaître ! C'est vrai, en ce moment, tu es la plus belle, mais ce n'est pas pour longtemps ! Je vais m'occuper de toi !

Elle ouvrit à nouveau le livre de recettes afin d'y trouver le meilleur moyen de se débarrasser de sa rivale détestée.

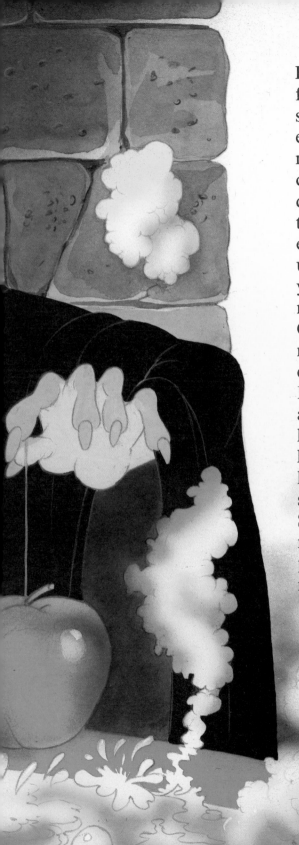

Elle alla choisir au fruitier une pomme superbe qu'elle empoisonna avec méthode. Elle la trempa d'abord dans un liquide qui lui donna une belle teinte rouge. Puis elle y enfonça plusieurs fois une fine aiguille pour y infiltrer un poison mortel.

Que Blanche-Neige morde dans ce fruit du diable et tout serait fini. La reine-sorcière attendit la nuit pour quitter le château et partir à la recherche de sa belle-fille. Si quelqu'un la rencontrait, elle passerait pour une pauvre mendiante.

Dans la maison des nains, la vie s'était organisée
pour le bonheur de tous. Blanche-Neige avait
bien bousculé quelques habitudes mais, quand
elle demandait une chose, c'était avec un si joli
sourire que les nains obéissaient de bon cœur.
Chacun, par exemple, faisait maintenant son lit.
Les nains reconnaissaient que l'ordre et la
propreté rendaient la maison plus agréable.
Un détail avait pourtant soulevé un problème :
''Montrez-moi vos mains'', demandait
Blanche- Neige.

Elle n'admettait pas des mains grises ou des
ongles noirs.
— Mais c'est la terre de la mine, elle n'est pas
sale ! expliquait Simplet.
— Frottez, savonnez, la terre s'en ira. On ne se
met pas à table avec des mains mal lavées,
répondait Blanche-Neige. Il fallut bien faire
comme elle l'avait décidé.
— Tiens, la mousse, c'est drôle, on peut jouer
avec ! remarqua Joyeux avec sa bonne humeur
habituelle.
Et chacun de réclamer le savon, de faire durer le
plaisir, sous le regard amusé de Blanche-Neige.
''Braves petits bonshommes !'' pensait-elle.

Il y avait pourtant un rouspéteur dans la bande.
Toujours le même : Grincheux ! Quoi que décide
Blanche-Neige, il était toujours d'un avis opposé.
Pas par méchanceté, mais parce que son
caractère était comme ça ! Grogner d'abord,
obéir ensuite ! Sur la question des mains,
il se montra intraitable :
— Si je les lave trop souvent, je prends des
ampoules en piochant !
La raison était si mauvaise que Blanche-Neige
éclata de rire et les nains en firent autant.
Grincheux se vexa.

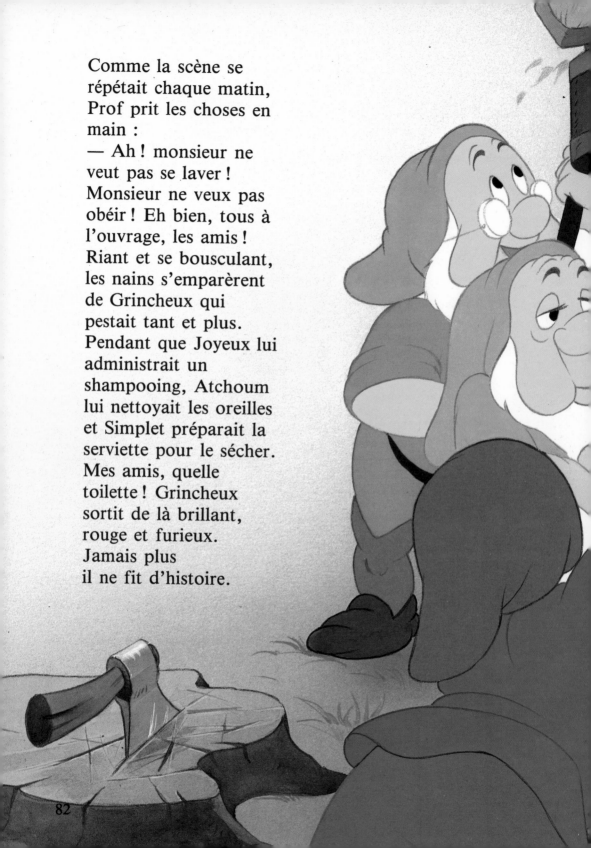

Comme la scène se
répétait chaque matin,
Prof prit les choses en
main :
— Ah ! monsieur ne
veut pas se laver !
Monsieur ne veux pas
obéir ! Eh bien, tous à
l'ouvrage, les amis !
Riant et se bousculant,
les nains s'emparèrent
de Grincheux qui
pestait tant et plus.
Pendant que Joyeux lui
administrait un
shampooing, Atchoum
lui nettoyait les oreilles
et Simplet préparait la
serviette pour le sécher.
Mes amis, quelle
toilette ! Grincheux
sortit de là brillant,
rouge et furieux.
Jamais plus
il ne fit d'histoire.

Il y avait un moment de
la journée que tout le
monde préférait : celui
de la veillée. Au retour
de la mine, on se mettait
à table avec appétit et
on racontait à
Blanche-Neige les trouvailles
faites dans la carrière.
Puis, la vaisselle rangée,
c'était l'heure de la fête.
Blanche-Neige avait
une jolie voix et les nains
adoraient danser en tapant
dans leurs mains.
Ils l'invitaient à tour de
rôle et, toujours gracieuse,
elle voltigeait comme un
oiseau. Un soir, Simplet
se tailla un vrai succès
en grimpant sur
les épaules d'Atchoum
pour être à la hauteur
de la danseuse.

C'était toujours Blanche-Neige qui devait donner
le signal du coucher. Même Prof le raisonnable
et Dormeur qui aimait tellement son lit se
faisaient tirer l'oreille.

— Il faut aller dormir. Demain, je secouerai les
paresseux qui auront du mal à ouvrir les yeux,
disait Blanche-Neige.

Elle allumait sa chandelle, prenait congé de ses
amis et montait le petit escalier, au milieu des
"bonsoir ! bonne nuit !" que les nains lançaient
en agitant les mains.

Ils avaient insisté pour lui céder leur chambre,
au premier étage. Même Grincheux avait été
d'accord : leur grande sœur devait avoir tout
le confort possible. Eux s'arrangeaient en bas.

Revenons au château : comme elle l'avait décidé, dès que la nuit tomba, la reine le quitta en empruntant un souterrain pour ne rencontrer personne. Une barque la conduisit au-delà des larges fossés qui protégeaient les murs et les tours. Une lueur de joie méchante brillait dans ses yeux. Cette fois, elle tenait sa vengeance. Blanche-Neige, avec son bon cœur, ne se méfierait sûrement pas d'une pauvre femme.

Le matin venu, les nains se préparaient à partir
au travail. Blanche-Neige passa l'inspection
des mains lavées, des cheveux peignés. Tous s'y
prêtaient de bonne grâce. Elle avait la caresse
si légère et trouvait un mot gentil pour chacun.
— C'est bien, Timide. Tu es plus beau quand
tes cheveux sont bien brossés.
Et Timide rougissait de plaisir.
— Au suivant !

Mais le suivant, c'était
Grincheux ! Il avait fait
quelques progrès, mais
quel caractère !
Ce matin-là, Blanche-
Neige se pencha pour
l'embrasser.
Il se débattit :
— C'est des manières de
fille ! Je n'aime pas être
dorloté, c'est ridicule !
Une poignée de main,
ça suffit !
Blanche-Neige éclata de
rire. Elle connaissait
bien son Grincheux.
— Entendu, mon
garçon, dit-elle. Plus de
câlinerie. C'est bon pour
les bébés !
Elle savait que le
rouspéteur regrettait
déjà le baiser perdu.
Mais il fallait bien lui
donner une leçon !
— Ahi aho ! Nous
partons au boulot...
Elle regarda avec
attendrissement la bande
qui s'éloignait sur
le chemin.

Le ménage achevé, Blanche-Neige décida de préparer une surprise pour le repas du soir. Les nains étaient gourmands. Un gâteau leur ferait plaisir. Par la fenêtre ouverte, ses petits amis de la forêt vinrent lui tenir compagnie.

Quelle belle matinée ! Elle fredonnait avec les oiseaux qui semblaient surveiller la préparation du gâteau.

— Ahi ! aho ! le merveilleux boulot !

Ahi ! aho ! Ahi aho ! Ahi ahi aho !

Elle avait adopté le joyeux refrain des petits mineurs de diamant. Un bruit léger lui fit lever la tête. Celui d'un pas sur le chemin. Elle s'étonna. Ils ne recevaient jamais de visiteur.

Une vieille femme traversait
la clairière. Elle était vêtue
de haillons misérables et
semblait marcher avec peine.
Le bon cœur de
Blanche-Neige s'émut :
que pourrait-elle faire pour
lui venir en aide ?

La pauvresse s'approcha
de la fenêtre.
— Madame, dit
Blanche-Neige, mon gâteau
n'est pas achevé. Mais
je peux vous offrir du pain
et de l'eau fraîche.
La vieille sourit :
— C'est moi qui te ferait
le premier cadeau !
Et elle lui offrit
une pomme rouge vif.

Au moment où Blanche-Neige tendait la main
pour recevoir le cadeau de la vieille femme,
il se produisit une scène étonnante : les oiseaux
semblaient être devenus fous. Ils volaient autour
de la visiteuse comme pour l'attaquer. C'était un
méli-mélo d'ailes agitées furieusement. En même
temps, tous piaillaient à qui mieux mieux. Ah ! si
Blanche-Neige avait pu comprendre ce langage !
Mais elle n'avait pas l'instinct de ses amis à
plumes pour reconnaître le danger.
Elle agitait la main pour les calmer.
— Je ne sais pas ce qui leur arrive ! Entrez,
madame, vous vous reposerez.

La mendiante ne se fit pas répéter l'invitation.
Elle pénétra dans la maison et regarda autour d'elle.
— Quel charmant logis ! On est bien chez vous,
ma belle enfant !
Blanche-Neige n'aimait pas le sourire édenté de
la vieille femme. Il était même un peu effrayant.
Mais elle avait pitié de sa misère. Et puis, cette
pauvresse avait bon cœur : elle donnait ce qu'elle
possédait.
— Merci, madame, je la croquerai à midi.
— Mais non, mais non. Dis-moi vite si elle est
aussi bonne que belle. Je serai si heureuse de
t'avoir fait plaisir !
Blanche-Neige planta ses dents dans le fruit
diabolique.

Un grand remue-ménage se produisit au-dehors.
Biches, lapins, oiseaux s'enfuyaient, volaient ou
bondissaient en direction de la mine.
Prof les aperçut le premier.
— Que se passe-t-il ? demanda-t-il inquiet.
Pendant qu'une biche tirait Timide par le fond
de sa culotte, les autres écoutaient l'incroyable récit.
— Une sorcière... Une pomme empoisonnée...
Blanche-Neige en danger !
Déjà tous couraient sur le chemin de la maison.

Ils arriveraient trop tard...

Dès que Blanche-Neige eut goûté la pomme ensorcelée, elle éprouva un malaise étrange. Ses yeux se fermèrent et elle glissa doucement vers le sol où elle demeura sans vie, aux pieds de la sorcière. Celle-ci triomphait :

— C'est bien fini, Blanche-Neige. Je peux maintenant retourner au château, redevenir la reine et interroger mon miroir sans inquiétude. Je suis à nouveau la plus belle en ce royaume. Ah ! ah ! ah ! Tu avais la jeunesse, paraît-il. Eh bien, moi, j'ai la vie et toi, tu l'as perdue ! Adieu, princesse.

Elle jeta un regard dur et triomphant sur le corps inanimé de sa victime, ouvrit la porte et partit en courant. Le vent faisait flotter sa guenille noire : on aurait dit un oiseau de mort qui s'enfuyait.

Les nains la virent s'engager dans la forêt et une folle course-poursuite commença. La sorcière zigzaguait à travers les arbres pour semer ses poursuivants. Mais toutes les bêtes amies de Blanche-Neige la guettaient au passage et guidaient les nains.

— Elle a tourné à gauche... Elle a dépassé le gros chêne... Par ici, Prof !

Mais elle courait de plus en plus vite et prit un chemin étroit qui grimpait à flanc de montagne.

Elle cherchait à épuiser
les nains dont les
jambes courtes peinaient
dans les montées.
Mais elle avait compté
sans leur volonté de
venger leur chère
Blanche-Neige.
Ils se rapprochaient
dangereusement.

Elle entendait derrière elle leur
respiration haletante. La pente
était raide mais le chagrin et
la colère donnaient aux nains
des forces nouvelles.
L'horrible femme ne leur
échapperait pas. Ils étaient
sept pour l'encercler !

Comment leur
échapper ? Elle n'avait
plus aucun pouvoir
magique. Elle aperçut
alors un éboulis de
pierres, arrêtées en
pleine pente par de
vieux troncs déracinés.
Elle bondit en avant et,
de ses deux mains,
essaya de faire rouler
le plus gros des rochers
en direction des nains.
La pluie tombait
de plus en plus fort.

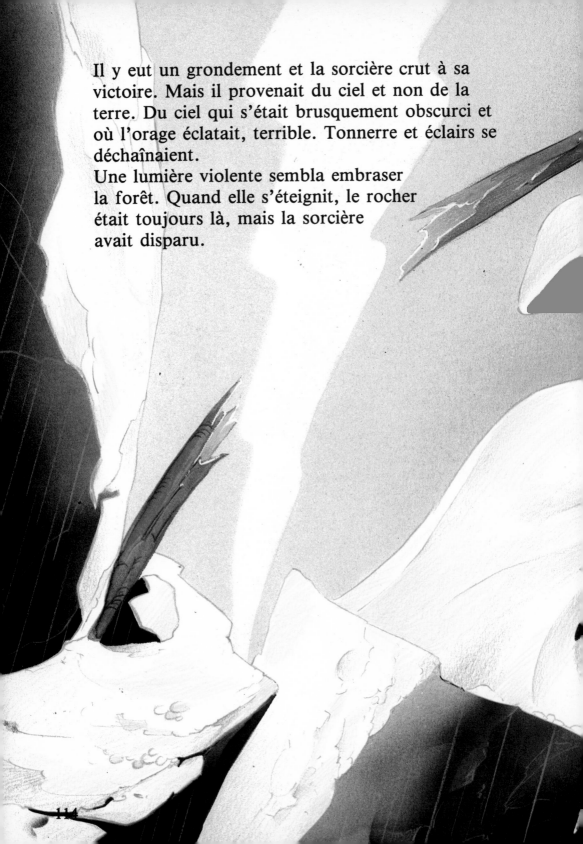

Il y eut un grondement et la sorcière crut à sa
victoire. Mais il provenait du ciel et non de la
terre. Du ciel qui s'était brusquement obscurci et
où l'orage éclatait, terrible. Tonnerre et éclairs se
déchaînaient.
Une lumière violente sembla embraser
la forêt. Quand elle s'éteignit, le rocher
était toujours là, mais la sorcière
avait disparu.

Les nuages s'effilochaient. L'orage s'éloignait aussi rapidement qu'il était arrivé.

Les nains se relevèrent, se comptèrent : pas de victime dans leurs rangs ! Tous tournèrent le regard vers le gros rocher qui aurait dû les écraser. Ils gravirent la pente raide. Regroupés au sommet, ils restèrent muets devant le spectacle qui les attendait : au fond du précipice, une sorte de guenille noire. Le corps de la sorcière, terrassée par la foudre. Le ciel lui-même avait vengé Blanche-Neige.

Ils revinrent en silence à la maison où rien
n'avait bougé. Leur chère princesse reposait
toujours sur le sol, gracieuse jusque dans ce
sommeil dont elle ne sortirait plus. Délicatement,
ils soulevèrent le corps fragile et se préparèrent à
veiller près de lui. Des larmes coulaient sur leurs
visages bouleversés.

— Qu'allons-nous faire ? murmura Timide,
en se tournant vers Prof.

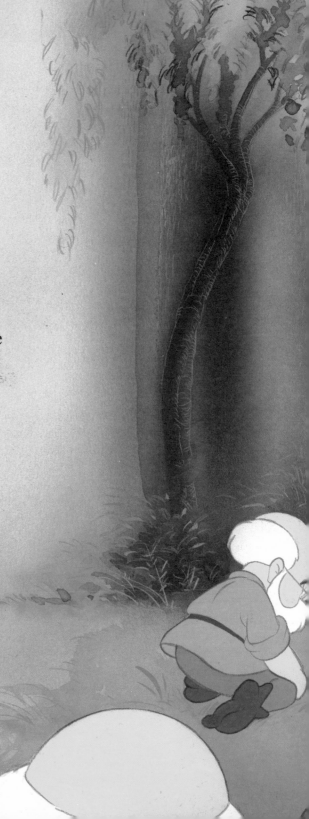

— La garder ! répondit
Prof.
C'était bien ce que
chacun souhaitait.
La princesse ne
quitterait pas son
royaume de la forêt.
Surmontant leur
chagrin, les nains
discutèrent et se mirent
d'accord pour tailler
dans du cristal le cercueil
où Blanche-Neige
reposerait pour toujours.
Ils l'installeraient au centre
de la clairière. Ainsi, ils
pourraient contempler
son visage et elle
veillerait sur la maison,
presque comme
autrefois.

Tout fut fait comme ils l'avaient décidé.
Et le travail reprit. Mais il n'y avait plus que six
mineurs pour chercher le diamant. Chaque
matin, à tour de rôle, un nain restait auprès de
Blanche-Neige.
Le temps passa. Puis, un matin, le coucou
chanta au fond des bois. Les petites pervenches,
les anémones roses et les jacinthes bleues
pointèrent dans la mousse. Le printemps
revenait. Une rumeur circula : biches, lapins,
pigeons ramiers avaient vu passer un élégant
cavalier qui n'était pas un chasseur.
— Qui cherchez-vous ? demanda une pie.
— Une princesse perdue dans la forêt.
— Blanche-Neige ! s'écrièrent les animaux en
chœur. Nous allons vous conduire auprès d'elle.

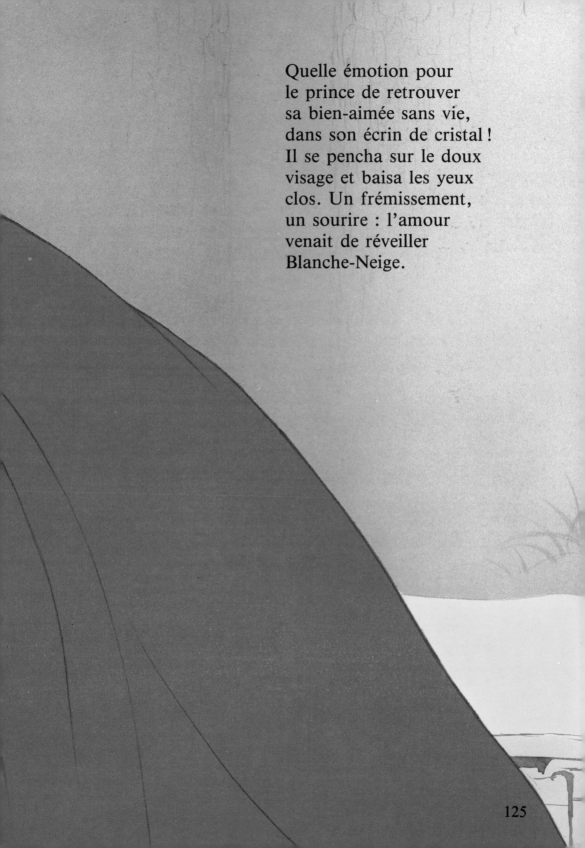

Quelle émotion pour
le prince de retrouver
sa bien-aimée sans vie,
dans son écrin de cristal !
Il se pencha sur le doux
visage et baisa les yeux
clos. Un frémissement,
un sourire : l'amour
venait de réveiller
Blanche-Neige.

— Mon prince est revenu, murmura-t-elle, éblouie.
— Et je ne vous quitterai jamais !
Joyeux, qui était de garde ce matin-là, dans la clairière, était parti en flèche pour annoncer la merveilleuse nouvelle à ses frères. Les nains arrivèrent en courant. Leur bonheur était immense.
Blanche-Neige était vivante ! Mais elle allait partir.
— Je ne vous oublierai jamais ! cria-t-elle aux nains et aux amis de la forêt.

Sur son cheval, le prince l'emmenait pour la
conduire dans son palais du bout du monde, où
elle serait sa reine.